고수

차례

！

마환공을
삼켰어?

8

묵륜마환?
파천신공을 변환시킨
초식인가? 이 거대한 파괴력을
내게만 집중시켰다면
막아내기 힘들 수도
있었겠지만…

이건 사부님이
당신들을 위해
내게 넘겨주신
공력이다!

묵륜공
천원진(千圓陳)!

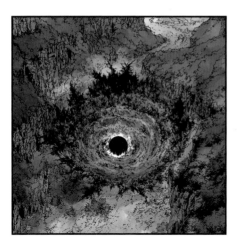

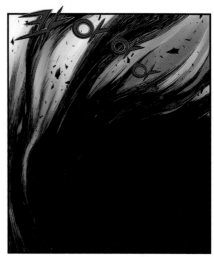

굉장하군,
파천신공이란 건….

저 혈비란 녀석도
대단하지만
강룡 저 아이도
만만찮은걸.

흐음…

결과가 어떻게 될지
예측하기가
쉽지 않겠어.

끝까지 지켜보고
싶긴 한데,

우리도
할 일이 있으니…

슬슬
움직여보자고.

우리?

영감…, 뭔가
착각하고 있는 것
아닌가?

저 혈비란 녀석을
응징하고 싶은
기분은 알겠지만,

우리가 이곳에 온
궁극적인 이유를
잊으면 곤란해.

예기치 못한 전개지만 이기든 지든 용이가 꽤 시간을 끌어줄 것 같으니,

지금이 아니면 기회가 없을 수도 있어.

뭐어…, 젊었을 때의 기분에 취해 비무대회나 즐기고 싶다면 말리진 않겠지만.

눈싸움이나 하고 있을 시간 없으니까 빨리 결정하라고. 여기 있을 거야, 갈 거야?

……

쿡‥쿡‥‥쿡‥‥

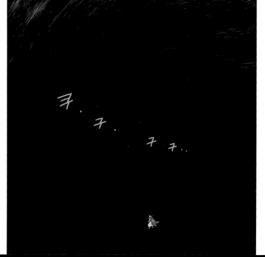

하나,
압력을 받고 있는 건
네놈 또한
마찬가지일 터.

오너라.

나를 이런 곳으로
끌어들인 것이
얼마나 큰 실수인지
깨닫게 해주마!

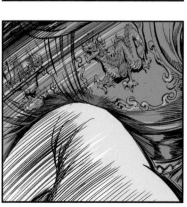

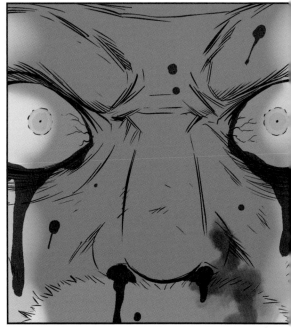

……

나는… 파천신공을
수련한 이후, 줄곧 이것과
같은 환경 속에서
최강의 상대와 싸워왔다.

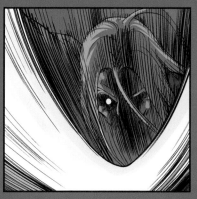

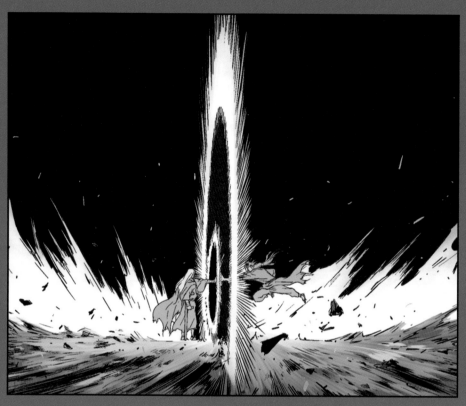

하지만
당신은 어때?

ㅋ···ㄱ···

공진을 형성하면서까지
싸워야 할 호적수를
만나본 적은 있어?

·······.

스윽···

스읍···

망할··· 늙은이···.

쿨럭···

잘···도···
이런··· 괴물을···.

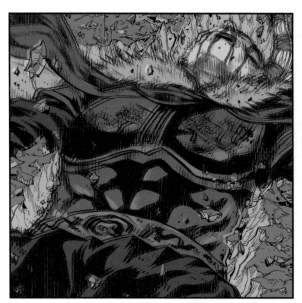

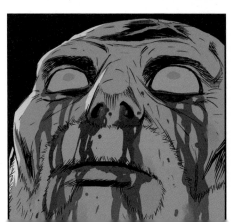

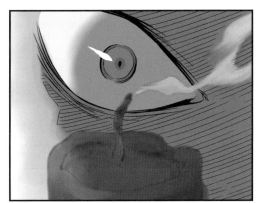

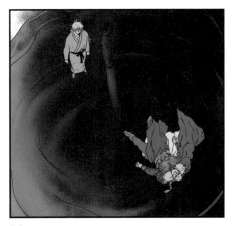

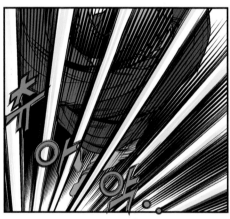

몸놀림이
빠른 건 좋은데
쓸데없는 움직임이
많군.

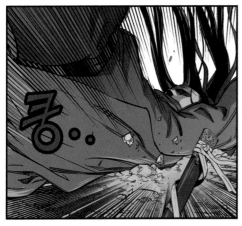

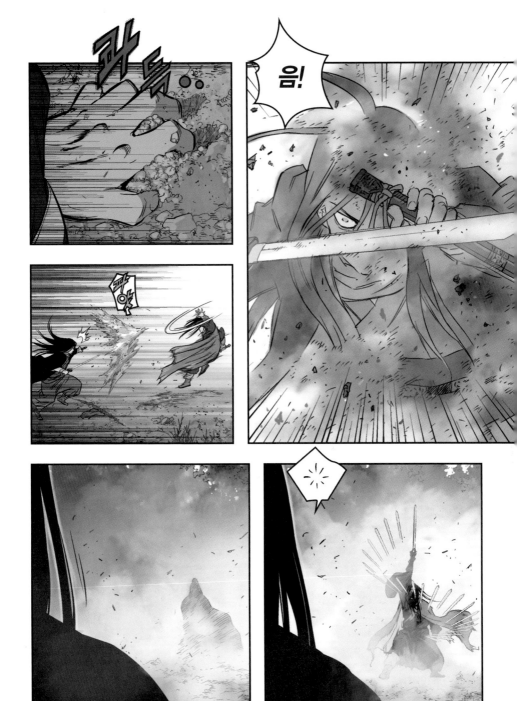

네놈을 상대하기 위해 수련한 초식은 아니지만….

선광천검!

45

……!

이거…
어이없는 친구로군.

상대의 기량도
파악하기 전에
그렇게 기를 빼버리면
어쩌자는 거야.

…싸움을
포기하는 건가,
아니면 내가 그만큼
만만해 보였나?

자아…,

다시
시작해보자고.

…….

으으음…

역시…
사부님의 천원진에서
싸우는 건 기의 소모가
너무 심해…

그렇지!
디딜 곳이 없어지면
내려오셔야지.

응?

......

뭐야,
이렇게 간 거야?

바보도 아니고
이 무슨…

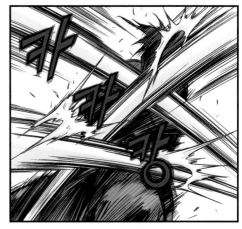

무기는 네놈만
있는 게 아니지.

그리고 나는
두 개야!

억?!

생각보다 훨씬 묵직하다. 피했어야 했나?

야.

두 개라니깐!

으윽!

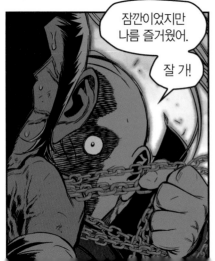

잠깐이었지만
나름 즐거웠어.

잘 개!

우 드 득..

저런
헝겊 쪼가리만으로
내 벽력파를
튕겨낸 건가.

......!

여기서 멀찍이
떨어져 있거라.

......

실망이네….
그렇다는 건
천곡칠살들 모두
당신 정도의
수준이라는 거잖아.

당신… 정도의
수준…?

눈앞에 둔 상대의 기량을
가늠조차 못하는 수준.

나에 대해
뭘 알고 있지?

신선림의 후광으로
조직의 수장을 맡고 있는
복 받은 계집이란 것 외에
아는 것 있어?

내가 어떻게
자라왔는지,

누구로부터
어떤 무공들을 전수받고
어떻게 수련했는지.

그리고…

내 어머니를
능멸한 너희들을
어떻게 할 생각인지.

이제 곧
알게 해주지!

......

68

69

어…떻게….

백회혈(百會穴)이
파괴되고도
살아 있을 수가 있지?

스으으읍…

134화

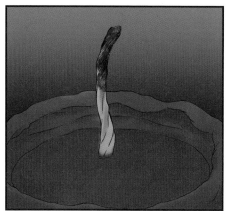

73

이…건….

설마….

다시
돌아가봐야 하나.

가긴
어딜 가?

밤새도록 기다리게 해놓고
이제야 미적미적
나타난 주제에 돌아가?
어딜 돌아가?

돈도 안 받고 넙죽넙죽
부탁 들어주니까 내가 아주
호구로 보이지? 어?

너 저거
못 느꼈냐?

누군가 '선'을 넘었다
돌아올 때 발산되는
저 특유의 파장 말이야.

그게 뭐?

동서남북
각 방향에서 싸움이
시작됐다며?

싸움이 격해지다 보면 일시적으로 가사상태에 빠지거나 심장이 멈췄다 뛰기도 하고 그럴 수 있는 거지.

마교 놈들과 싸울 때 그런 것 한두 번 봤나.

…….

그렇게 보면… 그렇긴 한데….

흥…

아, 됐고! 안 갈 거면 빨리 말해. 나도 관둘 거니까.

들키지 않고 결계를 찢는 게 쉬운 일인 줄 아나.

더 시간 끌면 놈들이 눈치 챈다. 더는 못 기다려!

…라는데
어떡할까?

……
…….

어, 근데
혼자 온다더니
구 대인은 왜 같이….
파천문주란 녀석은
벌써 끝냈소?

우리가 들어가는 동안
슬슬 데리고 놀면서
시간 끌기로 한 것
아니셨소?

…….

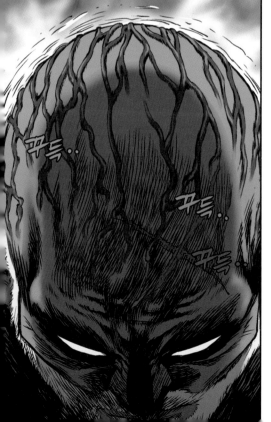

결국 이렇게
될 수밖에 없다는 건
알고 있었다.

......

마도환생
(魔道還生).

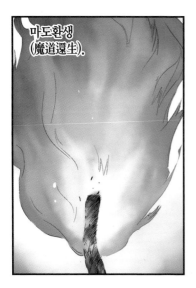

마도환생을 실현시키려면
몸속에 봉인해둔 단(丹)을
깨어나게 할 상대…,

흑룡왕을 상대로
탈진(脫盡)과 죽음의
공포를 느끼게 할
압도적인 적이
필요하다.

그 두 늙은이만 죽인다면 신선림은 이빨 빠진 호랑이에 지나지 않아.

게다가 중재자로 찾아왔을 때 죽였으면 '암살'이 되지만,

전 무림인이 주시하는 무대에서 결투를 통해 죽인다면 명분과 실리를 동시에 취할 수 있으니….

그런데…,

지금까지 드러난 것들로만 본다면 놈은 아직 사형을 넘지 못하는 수준 아니었던가?

아니, 그보다…

어째서 상대가 신선림의 늙은이들이 아니라 강룡인가.

신선림의 늙은이들은 지금 어디에 있는 거냐.

그들이 지금 이 상황을 지켜보고 있다면…

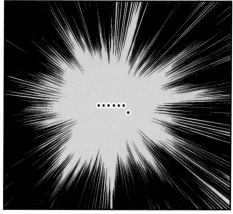

……

아아, 그런가….

…단(丹)인지 생명의 돌인지…, 깨어난 건가.

……

탈…태환골?

아니야.

저런 형태의 탈태환골은 들어본 적 없어!

이것이군.

포태궁에서 느껴보았던 이 주체할 수 없는 힘…!

……?

뭐…냐,
네놈은…?

신선림의
늙은이들은
어디 있지…?

아마도 나를
죽음에 이르게 했을….

두 쿵…

누구야,
이 자는?

방금 전
내가 싸운 자와
같은 인물?

같은 사람에게서
이토록 다른 종류의 기가
발산될 수도 있는 건가?

무공 수련을 통한
내력이라고는 도저히
믿기지 않는 이질적이고
소름 끼치는 기가…

오싹

오싹

오싹

그…렇군….

네놈이었어.

파천신군이 보낸
애송이….

봉인된 단(丹)을
깨어나게 한 것이
신선림이 아니라
네놈이라니.

나를 마도환생으로 이끌어준
이 은혜를 어떻게
갚아주어야 하려나….

스
으…

어딜 보고
있는 게냐!

90

135화

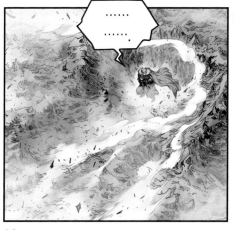

99

왜 그러고
있느냐!

스승의 복수를 위해
내 목숨을 가져가야
하지 않느냐?

어서 달려들어서
취해보라.

갑자기 무슨 조화를
부렸는지는 모르지만…,

……,

저기 서 있는 자가
혈비라는 것만은
틀림없는 사실이다.

혈비와 환사를 죽이고
내 할 일을 마친다.
달라진 건 아무것도 없어.

천원진으로 인해
진기가 많이
소진되긴 했지만…

전력을 다해
최대한 빨리 끝낸다!

그래야지….

네놈이
할 수 있는 만큼
발악해보거라.

그래야 더 큰
절망과 공포를
맛보게 될 테니.

크음.

기력이 다한 것이냐, 아니면 아직 나를 가늠하고자 하는 수작이냐?

네놈…,

음?!

명륜용격투!

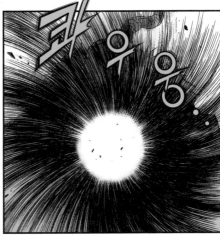

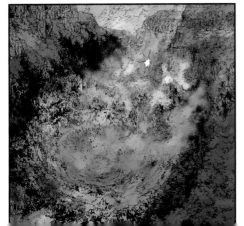

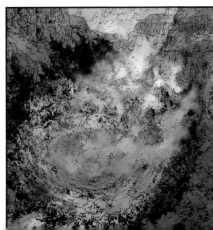

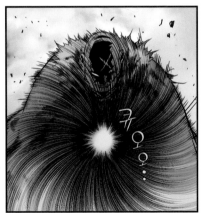

용격투라….

영감에게 전수받지 못한
초식 중에 그런 초식이
있었던 것도 같군.

자…,
또 뭐가 있지?

남은 게 있다면
모두 펼쳐 보여라.

곧 맞이할 죽음의 순간에
후회가 남지 않도록!

……

아닌 게 아니라
더 이상 끌어올릴 내력이
남아 있질 않아.

이번 한 번으로
끝내지 않으면….

호오….   아직 그 정도의 기력이
남아 있었더냐.

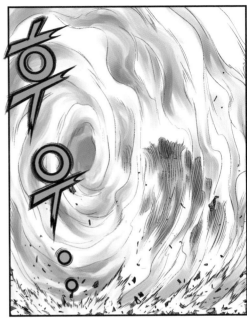

허상이다!

환술과 같은
현혹술일 뿐이야!

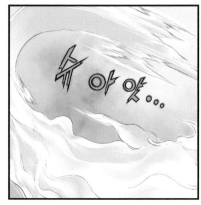

파천연환공!

위대한 파천신군도
마공에 대한 가르침은
주지 않더냐?

136화

그래….
그 정도로 쓰러지면
안 되지.

아직 네놈에게
확인해야 할 것이
있으니….

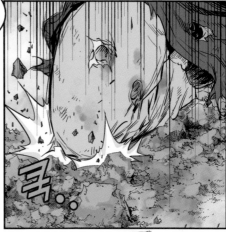

치명적인
혈맥들은 피해
근육만 파열시켰다.

사지를 자유롭게
움직이진 못하겠지만,

내력 운용만은
가능할 터.

파천신군 그 늙은이가
우리에겐 전수하지 않고
네놈에게만 가르친
비기가 있을 테지?

네 남은 내력을
모두 쥐어짜
동귀어진의 각오로
그것을 펼쳐 보여라!

콰 드 득‥

후우...

그래,
오너라!

크·크·크..

그만둬,
죽는다.

이 이상 무리하게
내력을 끌어올렸다간
네 몸이 버티지 못해.

누구….

…나는
네 조력자다.

지금까지 계속
함께 해오지
않았던가.

지금의 너는
저자를
당할 수 없어.

살고 싶으면
도망쳐!

닥쳐!

허깨비 따위가
뭘 안다고
끼어드는 거야!

쿠
우

키
우
웅...

음!

파천광멸공!

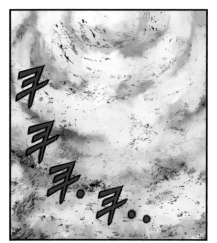

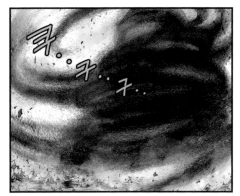

쿠··구···구··

광멸공이라···.

겨우 이 정도가
비기라니
실망스럽군.

음?!

훅

근육이 파열됐을 텐데
어떻게 이런 움직임을…?!

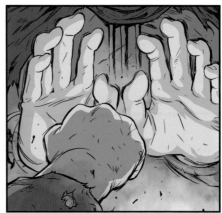

윽!

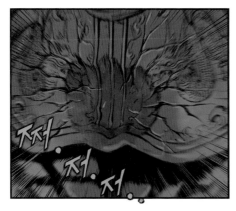

ㅈㅈ. ㅈ. ㅈ

크으, 이놈!

이미
의식이…

버러지 같은 놈이!

137화

왜…, 왜 그러니,
예린아? 가위라도
눌린 게야?

…….

꿈…에…,

용이가….

꿈?

안 되겠어요.
가봐야겠어요.

응?

가긴
어딜 가?

용이한테요.

아이고, 이 녀석아!
용이가 어딨는 줄 알고
간다는 게냐.

가면 알 수
있어요.

뭔 꿈을
꿨는지는 모르지만
꿈은 반대라잖니.
네가 아직 비몽사몽인
모양인데 냉수 한 사발
마시고 정신 좀
차려라. 응?
예린아~!

141

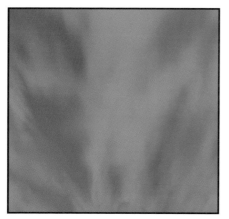

아직
멀었니?

다 끝나가요,
언니~!

조금만
기다려주세요~!

하여간
꾸물거리기는….

언니,
언니—!

큰일 났어요!

뭐가
또?!

저기…,
뚠뚠이가….

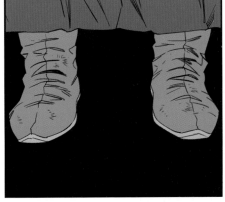

아무래도…,

돌아가봐야겠어.

돌아가다니,
어딜 말이오?

역시···
신경 쓰이는
모양이구먼.

그럼 영감은 돌아가봐.
여긴 우리가 알아서 하지.
애초에 그렇게 했어야
하는 건데···.

누구 맘대로?

결계가 무슨
맘 내키는 대로 들락날락
할 수 있는 변소 같은
덴 줄 아시나들?

나 정도 되니까 한 번은 안 들키고 들어왔지만 다시 나가면 십중팔구 눈치 챌 게요.

그러니 선택은 둘 중 하나야. 나가려면 여길 포기하고 다 같이 나가든지, 아님 이대로 계속 가든지.

그게 또 그렇게 되나?

……

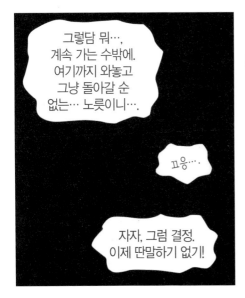

그렇담 뭐…, 계속 가는 수밖에. 여기까지 와놓고 그냥 돌아갈 순 없는… 노릇이니….

끄응….

자자, 그럼 결정. 이제 딴말하기 없기!

그나저나 한참 온 것 같은데 아직 얼마나 더 가야 하는 거야?

한참은 얼어 죽을…. 이제 겨우 입구 주변을 벗어난 수준이다, 인간아.

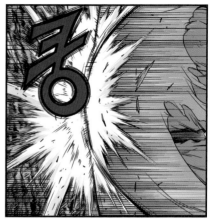

147

쿨럭!

쿨럭!

간간이 반격도 하더니
이젠 그럴 기력조차
없는 건가?

실망이군.

149

150

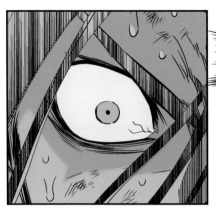

속도, 움직임, 검술까지…
나와 닮았으면서도
모든 면에서 나보다 위다.

이런 놈에겐
이길 수 없어.

안 돼….

빌어먹을!
여기까지 와서….

힘을 빼고 물러서,
멍청아.

제 앞가림도 못하는
돼지 주제에….

……

뭔가…
뼈를 가르는
감촉이 없었는데.

생각보다
얕게 들어간 듯한
느낌이….

지끈.

!

큭…!
이놈…!

그런 표정도
지을 줄 아는
놈이었군….

......

후욱!
후욱!

이제 조금…
싸워볼 만하려나…

싸워볼 만해?

고작 이 정도로 내게
치명상이라도 입혔다고
생각하나, 네놈…?

신경 쓰지 마.
혼잣말이니까.

그냥… 너 같은 적을
어떻게 상대해야 할지
가르쳐준 친구 놈의 말이
생각나서 말이야….

자…,

다시
시작해보자고….

……

제대로 서 있지도
못하는 놈이….

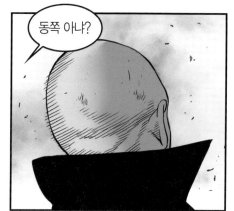

······.

안 죽었냐,
너?

그 정도론
안 죽어.

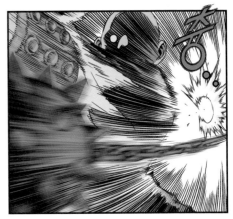

보다시피 체질이
좀 특이하거든···.

…그렇네.

특이한
체질이라니까.

치익!

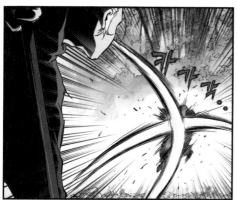

저놈의 창은 뭔 반경이…. 쉽게 생각하다 큰일 나겠네.

무림 떨거지 놈 하나를 상대로 절기까지 사용해야 하는 게 짜증 나지만 더 끌어봤자 좋을 게 없겠어.

쮸우우...우...

할아버지…?

분명
두 분 할아버지께서
가셨던 쪽인데.

뭐지,
이 기분 나쁜
기는…?

뿌뿌

싸우다 말고…
어딜 가려는 거냐…

……

더 할 수 있겠어?

이제 그만 다른 동료들에게 도움 요청을 하는 게 어때?

맘 같아선 흑룡왕이 와준다면 더 좋겠지만….

흑룡왕?

…남쪽 방향은 파천문주의 요청으로 우리 두 늙은이가 맡기로 했으니….

문주님은 남쪽 방향에서 신선림의 늙은이들을 맞으셨을 터.

…네놈들은 모르고 있었던 거냐?

!

그럴 거라 짐작은 했지만 역시….

뭐어…, 지금쯤이면 두 늙은이 모두 죽었을 테지만.

두 분이 얼마나 강한지 모르는 우물 안 개구리가 뚫린 입이라고….

그러니까 죽었다는 거다.

강하니까 제물이 되는 거야.

신선림 출신이라면 너도 마도환생에 대해 들어본 적 있을 텐데.

…뭐?

네가 조금 전
그쪽 방향을 주시했던 건
마공 특유의 기괴하고
소름 끼치는 기를
느꼈기 때문 아닌가?

두 늙은이를 제물로
마도환생이 완성됐다는
뜻이다.

네놈들도 신선림도
이것으로 끝이다!

설마,
그런….

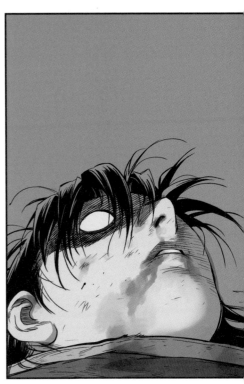

호아아암‥

아빠는… 어제도
안 들어오셨어요?

그래.
이번엔 좀 오래
걸릴 거라 하셨어.

팡

에이~.
아빠 오시면
글자 공부한 거
자랑하려 했는데….

자랑은 다음에 하고
지금은 들어가서
좀 자렴.

일어나기엔 아직
이른 시간이야.

…….

네….

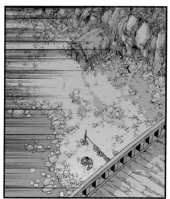

그런데…
관전이고 뭐고
여기서 뭐가 보입니까?

제 눈엔 아무것도
안 보이는데요?

한 곳의 싸움만
지켜볼 수 없는 입장이라
여기서 진을 친 뒤,

각각의 상황을
가까이서 살펴보고 있는
요원들로부터 보고를
받고 있는 중일세.

그렇다 보니
전체적인 흐름을
파악하는 덴 유리하지만
아무래도 즉각적인
상황을 알긴 어렵지.

요원들 또한 싸움에 영향을
끼치지 않을 만한 거리를
유지해야 하니 상황 보고가
매끄럽지 못하기도 하고….

어쨌든 지금까지 받은 보고 내용으로는 그리 나쁘지 않네.

곡주님은… 예상대로 상대를 압도하고 있고,

풍진방주는 일진일퇴.

검귀 쪽은 고전 중인 것 같은데 조금 더 지켜봐야 할 것 같아.

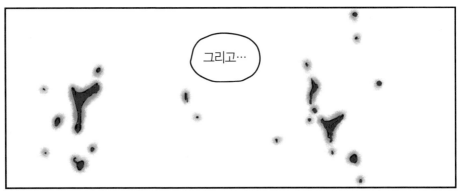

그리고…

남은 한 곳은 아직까지 보고가 없네.

!

우리 쪽에서 두 분이 가는 만큼,

놈들도 최소 둘 이상…. 어쩌면 파천문주란 놈이 직접 나올지도 모를 일이기에….

행여 싸움이 격해질 경우, 섣불리 접근했다가 휩쓸릴 우려가 있어 최대한 멀리서 지켜보라고 지시하긴 했지만….

이렇게나 연락이 없다니. 이 녀석들, 도대체 지켜보고 있기나 하는 건지….

으음…

장로님!

남쪽으로부터의 보고입니다!

오!

지금 무어라
하셨습니까?

남쪽 방향에서
강룡이란 아이가
파천문주를 상대로
싸운 모양이야.

그리고…,

지금 막 그 싸움이
끝났다는군.

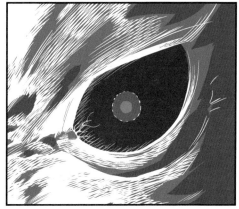

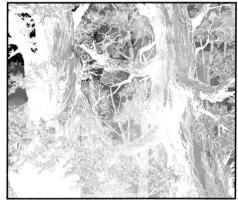

…….

……?

없어….
놈들의 존재가
느껴지지 않아!

기를 숨기고
있는 게 아니야.
존재감 자체가
없어.

도대체 어디로
사라져버린 거냐.

교···룡갑···?

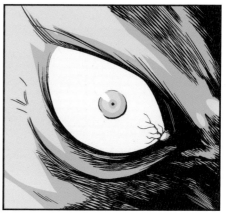

…….

…위험….

생명이… 꺼져간다.

서두르지 않으면….

……

상체를 봉합하고
손상된 조직 복원….

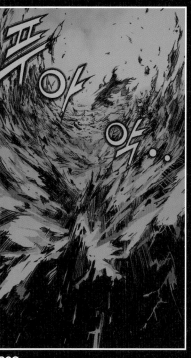

203

음…!

그렇게 쉽게
벗어날 수
있을 것 같으냐.

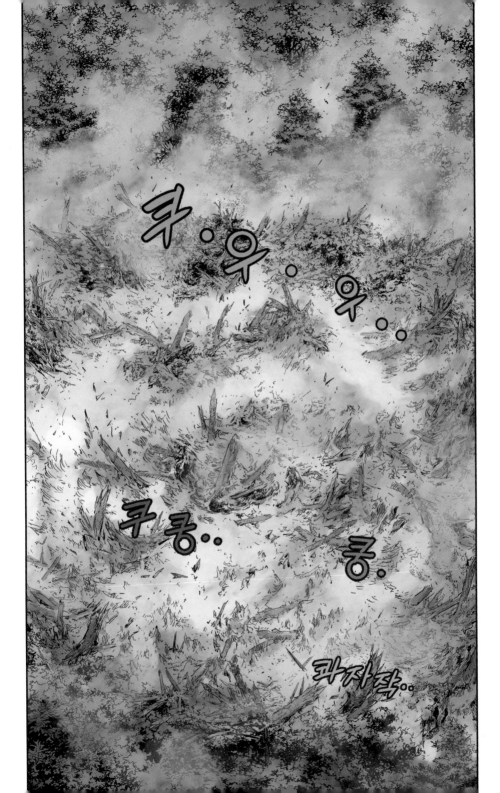

교룡갑은…,

막사평과 함께
소멸됐습니다.
그만 잊으시지요.

그런가….

훙음…○○

처음부터 내게 주어졌어야 했어.

막사평에겐 과분한 물건이라 그만큼 충고했거늘, 결국….

막사평에게 교룡갑을 주었기에 그동안 사형의 손을 더럽히지 않고도 수많은 일들을 처리해올 수 있었던 것입니다.

사형의 심정을 이해 못하는 바는 아닙니다만,

얻고자 하시는 힘을 손에 넣게 된다면 굳이 교룡갑 따위를 아쉬워할 필요가 없을 것입니다.

장차 신선림의
괴물 늙은이들을 상대하려면
준비는 철저할수록
좋은 법.

......,

만약,

교룡갑이
소멸되지 않고
남아 있다면
어떻게 되는가?

수백 년 동안 잠들어 있던
교룡갑을 찾아내고
깨운 장본인인 만큼
자네라면 알 수 있을 텐데?

그럴 일은 없습니다.

그러니 만약이라고 하지 않나.

…….

만에 하나 그렇다면…,

저의 비원을 이루어줄 자를 새로운 주인으로 선택하고 그에게 주어질 것입니다.

자네의 비원을 이루어줄 자라….

누차 말씀드렸듯이 사형 외에 달리 누가 있겠습니까?

…….

헌데 어째서 교룡갑이
저 애송이 놈에게…?

환사…

도대체 무슨 짓을
꾸미고 있는 거냐?

끼기긱

음

그드드드…

쿠드득

저의 비원을 이루어줄….

……

설마
그런…!

막사평은
교룡갑이 가진 힘을
제대로 활용하지
못하고 있습니다.

방어에 특화된 기물을 자꾸 공격용으로 변형시켜 사용하려 하기 때문이죠.

그래서는 오히려 교룡갑의 힘을 약화시킬 뿐입니다.

신체보호, 상처의 치유와 복원 등 본연의 기능에 충실할 때에만 신물로서의 위력을 발휘하는 것입니다.

……. 그렇단 말이지….

보호와 치유에
특화된 신물이라….

어디…,
목이 분리되어도
다시 살릴 수 있는지
한번 볼까?

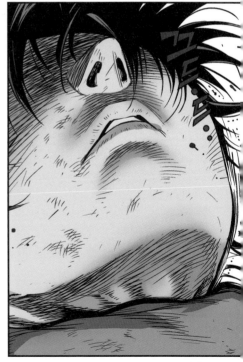

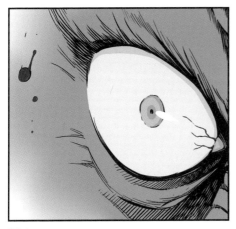

환사?

오오오!

드디어
찾았다.

나의 비원을
이루어줄 재목을…!

뭣?

파천신군의 죽음으로
한 번은 포기한
꿈이었다….

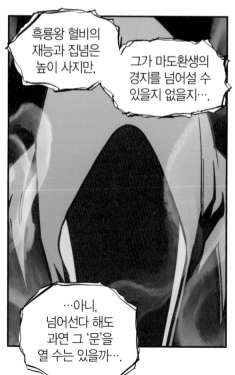

흑룡왕 혈비의
재능과 집념은
높이 사지만,

그가 마도환생의
경지를 넘어설 수
있을지 없을지….

…아니,
넘어선다 해도
과연 그 '문'을
열 수는 있을까….

그런데
보라….

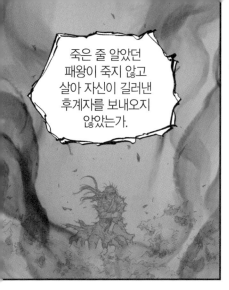

죽은 줄 알았던 패왕이 죽지 않고 살아 자신이 길러낸 후계자를 보내오지 않았는가.

그 놀라운 힘을 고스란히 물려받은 파천신군의 분신.

이 아이의 존재야말로 하늘이 아직 나를 버리지 않았다는 증거가 아니고 무엇이랴.

하나…, 지금은 이르다.

뭐지, 이건…?

환사의 사념인가?

자신의 힘을 다 끌어내지 못한 상태로 흑룡왕과 만나기라도 하면 부서질 수밖에 없다.

…… …….
어찌해야 하는가….

．．．．．．．．．．
．．．．．．．．．．．

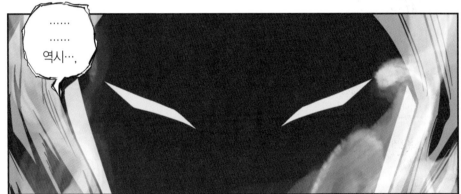

．．．．．．
．．．．．．
역시…,

흑룡왕을 제물로
삼는 수밖에 없는가….

네놈이…!

…….

쿠‥우‥우‥

환사…,
네가 감히….

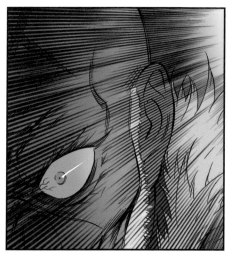

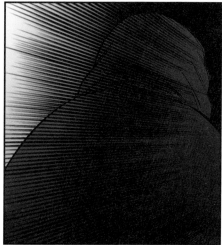

결국 알게 될
일이었지만
하필 지금….

또 나의 예상이
빗나가는가.

우음…

음?!

저건….

델그럭

내가 건드린 게 아니고 지들이 내 봉을 건드린 거 같은데….

어?

으악…

그걸 왜 건드려, 이 멍청아!

뭔 괴소리야! 돌멩이에 손발이라도 달렸냐!

결계석을 건드리면 어찌되는 줄 알기나 해?!

결계 설치자한테 들키는 건 물론이고 침입자 대비용 기관 장치가….

쿠르릉…

……!

이런…. 이래서 이들의 행방이 읽히지 않았던 건가.

황제! 곽소종! 어디 있느냐!

콰

휘유.

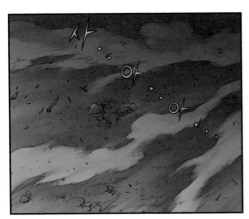

이…럴 수가….

설…마 정말
살아 있었던 건가…?

참으로
오랜만이로군.

용 공자…,
천잔왕 구휘,

그리고…
일각이던가?

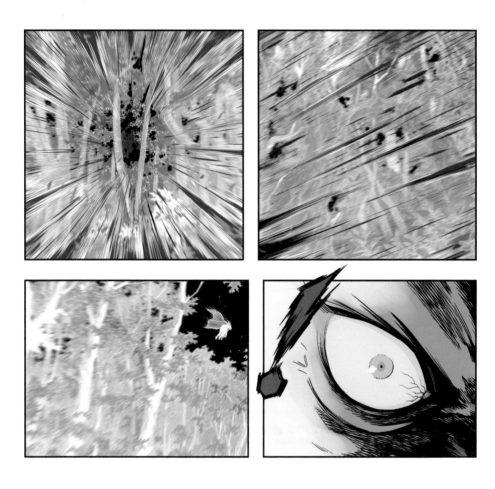

이만큼 멀리 왔으면
조금은 쉬어도 되겠지.

…이게
교룡갑이란
거구나.

이런 기물을 어떻게
손에 넣었는지는 모르지만
이것 아니었으면
목숨이 몇 개 있어도
모자랄 뻔했어.

…미세하게 계속
꿈틀거리는 걸로 봐선
갑주 안쪽에서 상처를
치료하고 있는 것 같은데….

뭔가 징그럽….

?!

흡…!
이따위 잔재주로…!

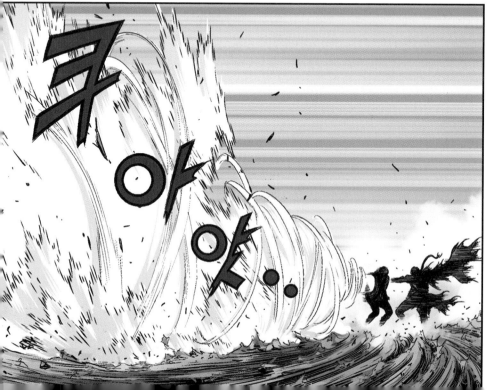

께·기긱··

기긱··

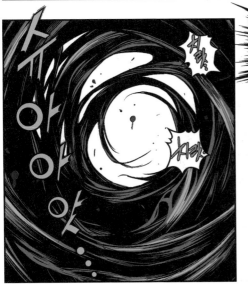

쑤우우···

쳐엇!

끼이이이야···

스스로 구멍을 만들어
장력을 흘려보냈어?

본연의 기능에
충실할 때의 신물의 힘은
상상을 초월하는 것이외다.

닥쳐라!

알량한
신물 따위…

254

뭐…야, 저게?
교룡갑이 왜
저기에…?

······

교룡갑의 일부가
저자와 상대하며
우리가 달아날 시간을
벌고 있는 거였나?

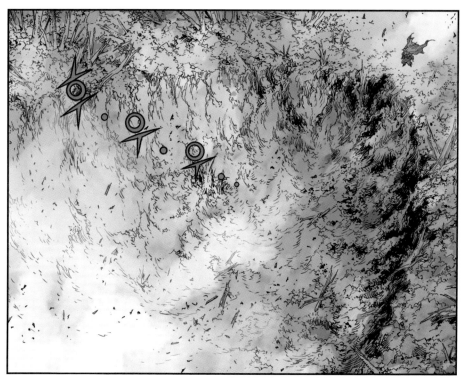

259

얄팍한
짓거리를…!

죽진 않았어. 약하긴 하지만 맥이 뛰고 있어!

…이건…,

......

흐흥···.
이것 봐라?

쥐새끼가
한 마리가 아니었군.

이 자가···
흑룡왕 혈비···?!

오
쓱.

265

요화단주…라고
하셨소, 소저?

내가 저자를 맡고 있는 동안
용이를 데리고 피하시오.

......

빨리!

아···!

스륵

스륵

크으읍!

음?!

143화

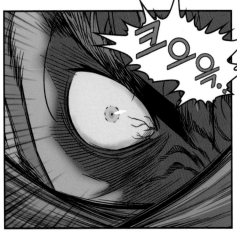

......

이건…

으윽!

…온몸이
타들어 가는 듯한
통증이….

이게 정말
살아 있는 인간의
기인가…?!

아니?!

아직 가지 않고
뭘 하고 있는 게요!

아,
그게….

괜찮으면
같이 피하는 게….

지금 그럴 때가
아니오!
빨리 가요ー!

막았어?!

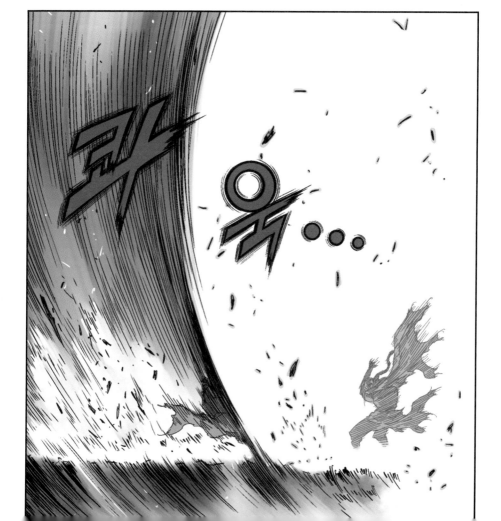

……

......

！

......

으음….

이, 이런….

두 사람이 여길
벗어날 때까지만
어떻게든 시간을
벌어볼까 했더니….

네놈…

팔공진인 양소라는 인물과 관련이 있느냐?

……

파문당하긴 했으나 한때 스승으로 모셨던 분이오!

!

과연…

흡성대공을 완성시켰다는 그 괴걸의 제자였더냐!

네놈들이야말로 스스로 규칙을 어기고 끼어든 만큼,

그 결과 또한 받아들일 각오는 돼 있을 테지?

…치익.

가급적 싸우고 싶진 않지만,

정 그렇게 나온다면 나로서도 가만히 앉아서 죽어줄 순 없는 노릇이니….

스으…

음?

후… 우… 우…

마공…?

뿌드득

뿌드득

뿌드득

내게서 가져간 기를
벌써 자신에게
동화시킨 건가?

타인의 기를 흡수해
불사의 경지를 추구하는
신비무학 흡성대공이라…

호홍…

잘됐군.

후·후·후…

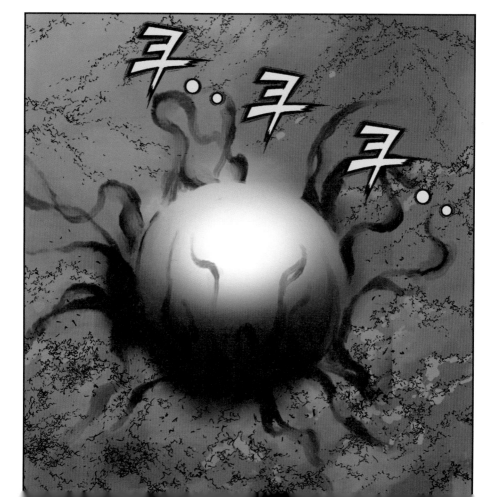

뭘 보고 있어?

그냥….

어디서 비명 소리가 들린 것 같아서….

으음….
그 사람들이구나.

너 살리겠다고 대신 싸우고 있는 사람들.

덕분에 치료에 전념할 수 있어서 편하긴 하지만.

얼마 못 버틸 거야, 그 사람들.

286

그렇게
도망 가랄 때 갔어야지.
쓸데없이 고집부리는 바람에
애꿎은 사람들까지
죽게 생겼잖아.

···누구야,
너는?

나?
말했잖아,
조력자라고.
기억 안 나?

·······.

안 나는구나···.

287

그럼
네가 누군지는
기억 나냐?

지금 어떤 상탠지는
알고 있어?

어…떤
상태?

너 이제 곧
죽어.

쿠 구 구…

문제는
그게 아니지.

네가 깨어나지 못하면
치료해봤자
아무 소용 없으니까.

···치료는 거의
끝나가는 중이지만,

그리고
지금 상태로는
깨어난다 해도
달라질 게 없어.

'그 자'한테
한 번 더 죽을
뿐이야.

한 번··· 더?

정확히 말하면
죽기 직전이었지만.
뭐, 암튼…

그게
중요한 게 아니고.
너 정말 암것도
생각 안 나냐?

?

......

여길 봐.

......

역시
못 알아보네….

여기가 어딘지는
알아보겠어?

이 가면 쓴
얼굴은?

설마 기억이 전부
사라져버린 거냐?

이거
큰일 났구먼.

......

그럼 이번엔
좀 더 깊은 곳으로
들어가서….

사…부님…?

그래…. 그렇게 결정했느냐?

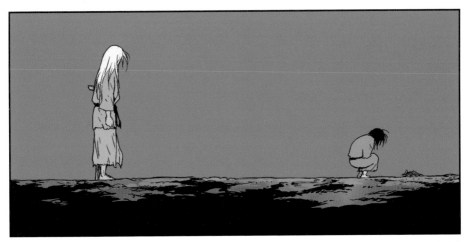

이 애가 살고 싶어
하는 것 같아서…

살고 싶어 한다?

고통을 덜어준다는 이유로
살고자 하는 다른 생명을
함부로 뺏을 권리 따위
누구에게도 없는 것을….

이리 따라오너라,
용아….

오늘부터 정식으로
파천십이신공을
수련해보자꾸나.

!

그나마…,

'사부님' 얼굴은
알아보는군.

기억을 전부
잃은 게 아니어서
다행이야.

……

어…머니….

어머니 얼굴은 생각나?

아니.

흐음….

오래돼서 희미하긴 하지만 남아 있긴 하던데.

보여줄까?

그런 눈으로 볼 것 없어.
지금쯤 대충 눈치챘겠지만
여긴 네 잠재의식 속의
세계야.

나는 네 의식을
공유할 수 있기 때문에
네가 기억을 못하는 것까지
조금 더 알고 있을 뿐이고.

……

따 닥
딱

퍼
억
...

쿠당탕..

일어나거라.

......

하악

하악

네 아비와
어미는…,

그리 강하지 못한
사람들이었다.

하나, 뜻이 맞는
동료들과 함께 스스로 정한
규칙을 지키며 성실히
살아가는 사람들이었느니….

그들과 다른 뜻을
가진 자와의 싸움에서 패한 뒤,
고집을 꺾지 않았던 네 아비는
결국 동료들과 함께
죽임을 당했다.

아버지에 대한
기억은?

없어.

네 어미 또한 홀몸도 아닌 상태로 남편의 복수를 하고자 했으나 뜻을 이루지 못하고 눈을 감았더니라.

부모가 억울한 죽음을 당했다면 자식된 자로서 마땅히 그 원한을 풀어 드리는 것이 강호의 도리.

어찌하겠느냐, 네 부모를 죽인 자를 찾아 벌하겠느냐?

예!

......,

말해두지만
'그자'는 강하다.

그를 넘어서고 싶다면
더욱 수련에
정진해야 하느니….

저런 대화를 한
기억은 있어?

…….

부모님을 죽인 자가
누군지는 알아?

두근…

그…럴 리가….

…이쪽 상황은
어떻습니까?

여기도
마찬가지요.

첩보조로부터 한두 차례 보고가 있긴 했지만,

멀리서 지켜보는 정도라서 정확히 파악하기가 쉽지 않은 듯하더이다.

행여 가까이 접근했다가 파천문 측에 노출되기라도 하면 괜한 오해를 살 수 있어 그럴 수도 없고….

그…렁군요.

으음….

역시 끝날 때까지 기다리는 수밖엔 없는가….

설산파 장문인께서는…,

어느 쪽에 승산이 있다고 보시는지요?

314

승산이라…

신선림이
개입하는 바람에
섣불리 어느 한쪽의 승산을
점치긴 어렵게 돼버렸지만,

그럼에도
파천문 측이 패하리라곤
생각되지 않는구려.

우리가 신 무림맹을
인정하고 안 하고를
떠나서,

지난 20년간
그들이 무림 최대
조직이었다는
사실만큼은 여러분도
부인하기 어려울 게요.

!

……

무림맹의 세력 확장
정책으로 인해
멸문당한 가문의
생존자들을 거두어,

파천문에서
은밀히 키워낸
괴물들.

게다가 문주인
흑룡왕 혈비의 무공은
이미 파천신군의 경지를
넘어섰다고 알려져 있소.

마교를 물리친
신선림의 저력을
무시할 순 없겠지만,

그 일은 이미
오십 년도 더 지난
과거의 일.

노쇠한 신선림의
은자들이 흑룡왕 혈비와
천곡칠살을 상대로 과연
얼마나 버틸 수 있을지…

파천문의 상대가
신선림 은자들만
있는 것은 아닙니다.

하나…,

단신으로
천지회를 말살한
홍안의 검귀.

그리고
부친으로부터
철사자의 칭호를 이어받은
젊은 풍진방주 도겸.

거기에
백마곡 수장인
백옥무제 진가령까지.

그 세 사람 또한
파천문 입장에서
쉽게 볼 수 없는
고수들입니다.

물론 그들을
과소평가하려는 건
아니오.

......

그러나
그들이 저 천곡칠살을
능가할 수준이라고는
생각되지 않는구려.

아무튼…,

결과는 곧
알게 될 테지요.

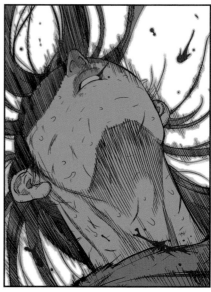

......

저놈….

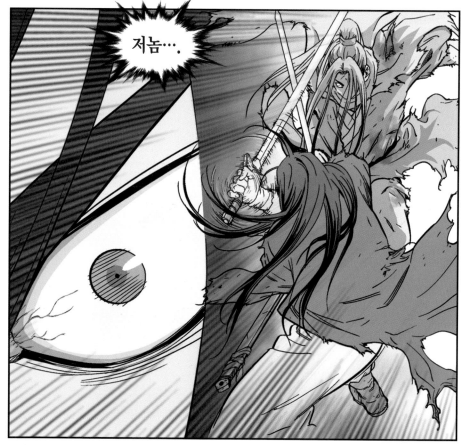

내 공격을
전부 흘렸어?

......

중얼...

......

큭…!
제길…!

……

……
피하는 것
만으로는…
부족해….

…좀 더…,

좀 더
뭔가….

…버려.

왜냐니…,
나한테 한 방 먹이고 싶다며?

그럼 먼저 내가 너랑 싸울 때
어떻게 싸우는지부터
알아야 할 거 아냐.

칼을 버리고 맨몸으로
칼든 사람과 싸워봐.
그러면 알게 될 거다.

칼잡이한테
칼을 버리라니,
미친….

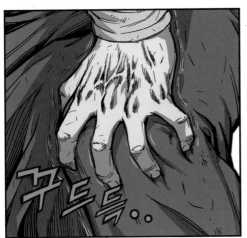

…….

이것으로 당분간
통증과 출혈은
멈추겠지만….

칼이….

…버렸나,
칼을…?

중얼

중얼

이….

건방진!

！

파고들었다?

오오….

검도 없이
접근전이라니.

어리석은….

맨몸으로 칼 든 사람을
상대해보면
알게 된다니까,

권법과 검술은
공수의 반경이 다르다는 걸.

하지만 그저 피하기만 해서는
이길 수 없어,
결국 당할 뿐이야.

상대를 제압하려면
네 쪽으로 유인해서
끌어들이거나…,

상대의 반경을 깨뜨리고
네가 공격할 수 있는 범위까지
뛰어들어야 돼!

권(拳), 격(擊)의
기본도 안 돼 있는 놈이,

이 무슨
어설픈 흉내냐!

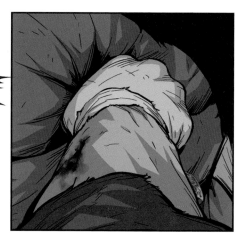

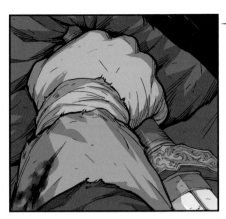

12권에 계속

고수 11

2023년 4월 25일 초판 1쇄 발행

저자   문정후 류기운

발행인   정동훈
편집인   여영아
편집책임   최유성
편집   양정희 김지용 김혜정
디자인   디자인플러스
본문편집   한상희

발행처   (주)학산문화사
등록   1995년 7월 1일
등록번호   제3-632호
주소   서울특별시 동작구 상도로 282 학산빌딩
편집부   02-828-8988, 8836
마케팅   02-828-8986

ISBN 979-11-411-0320-0
ISBN 979-11-6927-882-9(세트)

값 15,000원